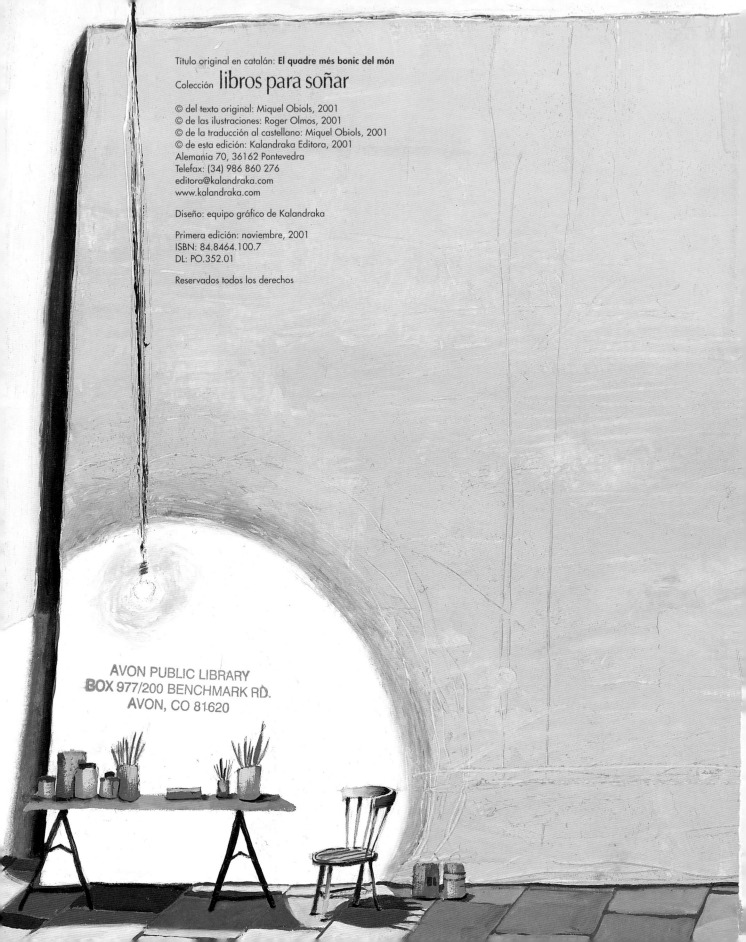

Título original en catalán: **El quadre més bonic del món**

Colección **libros para soñar**

© del texto original: Miquel Obiols, 2001
© de las ilustraciones: Roger Olmos, 2001
© de la traducción al castellano: Miquel Obiols, 2001
© de esta edición: Kalandraka Editora, 2001
Alemania 70, 36162 Pontevedra
Telefax: (34) 986 860 276
editora@kalandraka.com
www.kalandraka.com

Diseño: equipo gráfico de Kalandraka

Primera edición: noviembre, 2001
ISBN: 84.8464.100.7
DL: PO.352.01

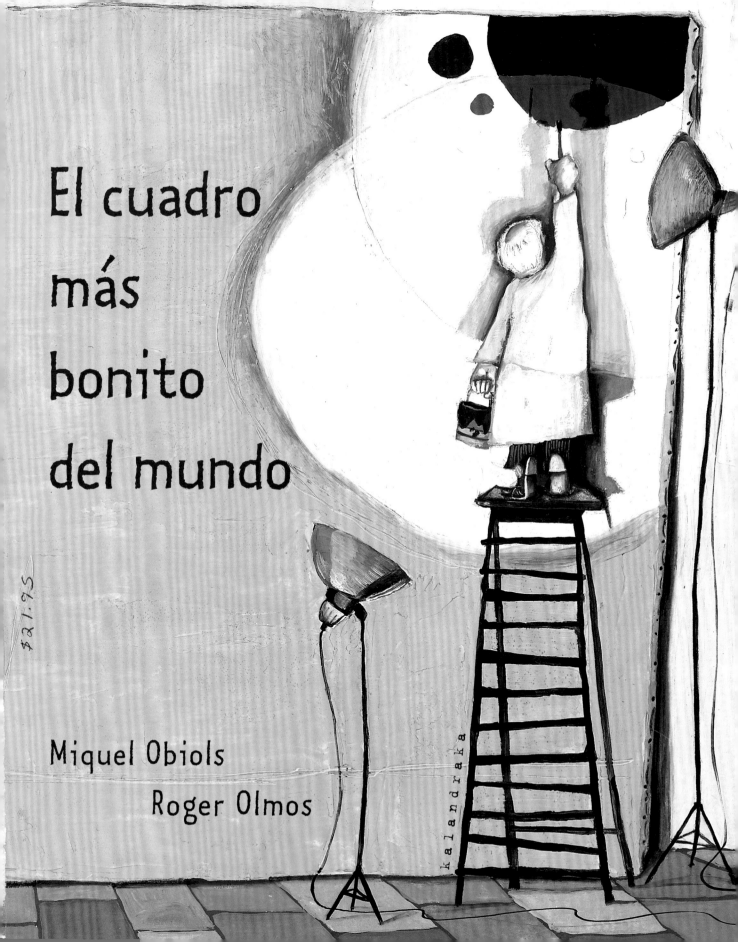

El cuadro más bonito del mundo

Miquel Obiols

Roger Olmos

Joan Miró tenía encerradas
en su estudio blanco
cinco manchas de pintura
que había estado cazando
la semana pasada,
disparando tiros de imaginación
y lanzando muchos golpes de ingenio.

Eran manchas salvajes, frescas
y con muchas ganas de manchar.

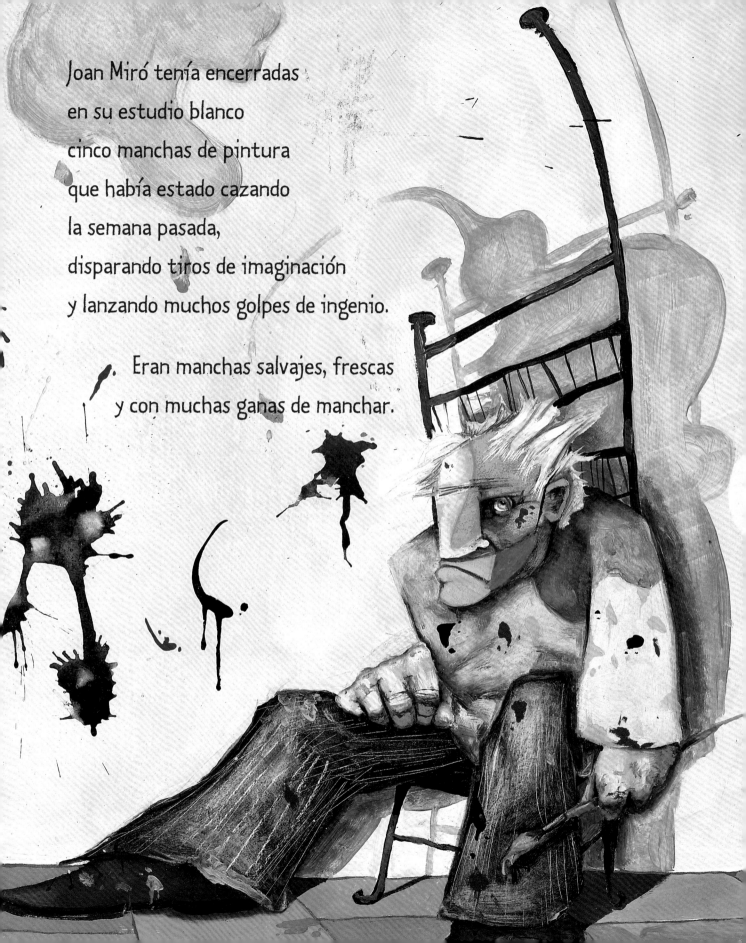

Las cinco manchas,

del **amarillo**,

del **azul**, del **rojo**,

del **negro** y del **verde**,

se movían nerviosas por el estudio.

Entonces entró Joan,
con su látigo nuevo, y se puso
traje de domador,
zapatos de domador,
sonrisa de domador...
y cabellos de plata.

Por las ventanas entraba
toda la luz mallorquina de aquella mañana de primavera.

Nadie podría ver
los juegos malabares
que Joan domador
estaba a punto de iniciar.

En cuanto lo olieron, las manchas de pintura
se pusieron a bailar la danza de la gelatina.

Pero el domador Joan hizo chascar el látigo.

Las manchas se asustaron, se deformaron y se juntaron en un rincón.
Después dieron un salto mortal y se colgaron en el techo, como murciélagos.

La **amarilla** tenía aspecto de mujerona; la **azul**, de cometa;

la **roja** brillaba como un sol;

la **negra** parecía una luna; la **verde**, un pájaro.

Joan domador las miró de reojo,
pensando que no podía dejarse hipnotizar.

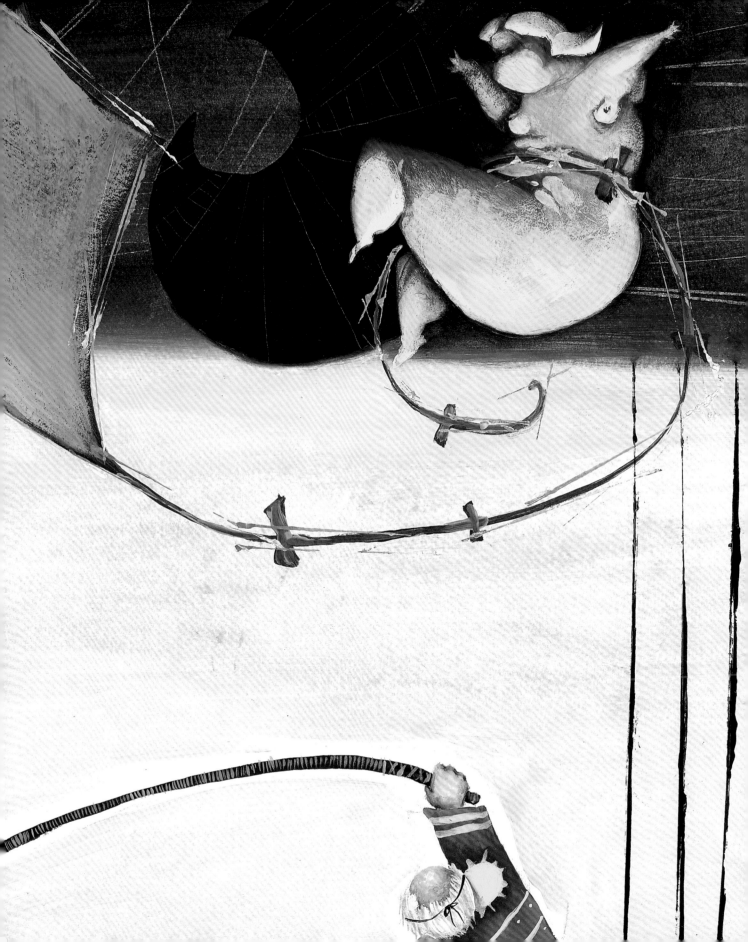

¡Hizo chascar cinco veces el látigo!

Entonces las manchas
se descolgaron del techo,
hicieron un corro y bailaron
la sardana de las manchas ligeras.

Después se revolcaron por el suelo.
Parecían cansadas.

Pero cuando Joan domador se fue a comer,
las manchas, muertas de risa,
se escabulleron, con toda la pintura,
por debajo de la puerta.

Se deslizaron por el jardín,
como si fuesen ríos de agua teñida,
y dejaron todo coloreado:
piedras azules, tierra verde,
matas rojas, hojas negras,
caminos amarillos...

¡Así hasta que embarcaron!

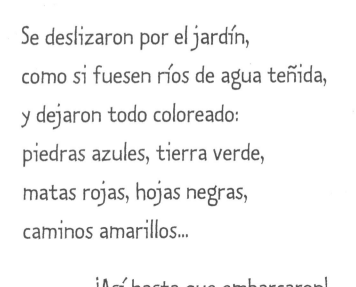

Mar adentro, la barca navegó

con cinco manchas de pintura chorreando,

dejando caminos de colores sobre la mar salada.

Cuando Joan domador se dio cuenta
de que las manchas se habían escapado,
se puso 　　　　　　 traje de marinero,

zapatos de marinero,

sonrisa de marinero...

y cabellos de plata.

Y la barca blanca de Joan
persiguió las huellas marinas
que dejaban los caminos de colores.

Las manchas de pintura llegaron al puerto de Barcelona
y se dispersaron por caminos diferentes,
dispuestas a teñir todo lo que encontrasen.

La estatua de Colón se quedó roja,
aparecieron barcos de cinco colores
y la gente que había por los muelles
andaba pintada de arriba abajo.

Cuando Joan marinero desembarcó, lo esperaban el presidente, el alcalde, consejeros y más gente azul y grana.

Todos se mostraron muy afectuosos con el marinero Joan,
pero también preocupados por aquellas manchas de pintura desbocadas.

Joan contó que estaba sumergido en un mar de creación que se extendía
desde la isla de Mallorca hasta un punto que no sabía muy bien dónde estaba.

Así que pidió calma. ¡Y todos aplaudieron!

Joan se puso
traje de recuperar manchas,
zapatos de recuperar manchas,
sonrisa de recuperar manchas...
y cabellos de plata.

Y se subió al
helicóptero blanco de recuperar manchas,
pilotado por tres pintores curiosos
que querían descubrir
el punto de mira de Miró.

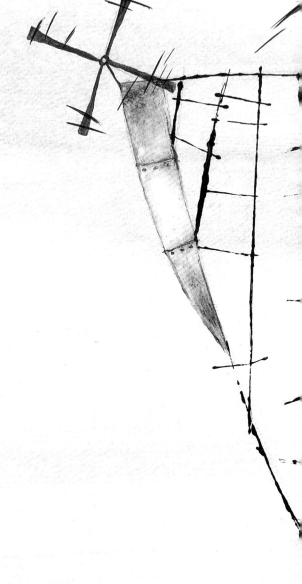

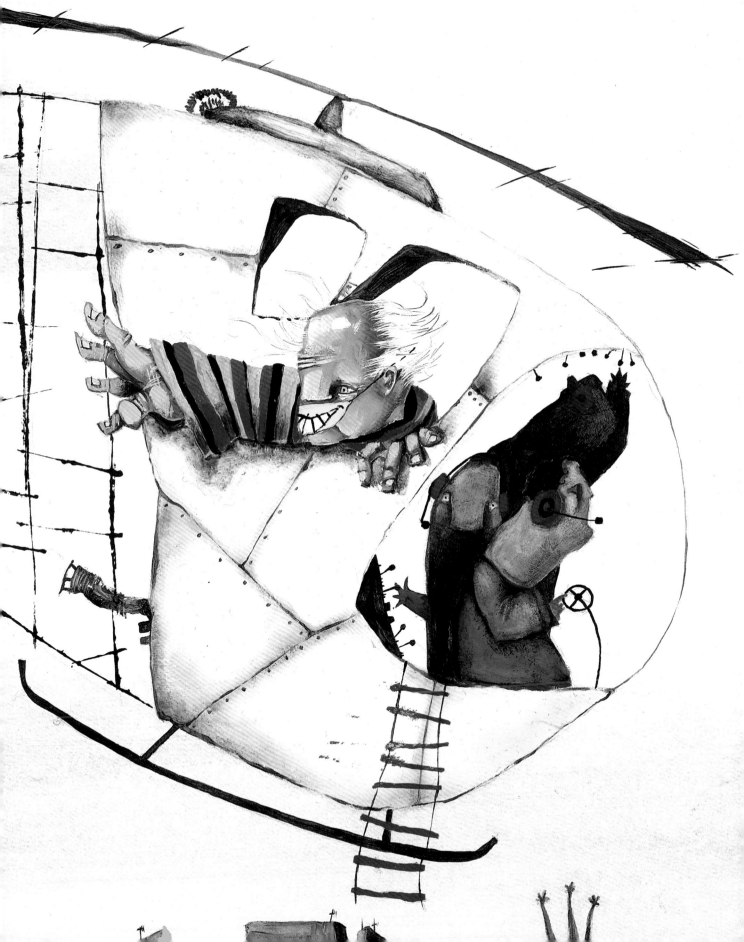

Mientras tanto, las manchas de pintura
habían armado un buen follón.
En el zoo, tigres verdes se exhibían entre elefantes rojos;
las agujas de los edificios gaudinianos eran azules;
los parques se habían teñido de amarillo;
había azoteas negras, calles verdosas...

¡La ciudad estaba medio coloreada!
Y las manchas avanzaban por la carretera que sube a Montserrat...

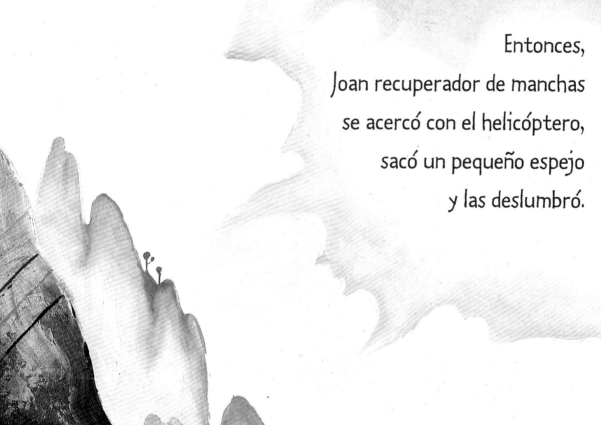

El helicóptero recuperador de manchas las persiguió,
pero corrían como locas,
escalando montañas aserradas
y dejando capas de pintura.

Y las manchas llegaron a un punto,
el punto de mira de Miró,
y se vieron acorraladas,
sin saber para dónde tirar.

Entonces,
Joan recuperador de manchas
se acercó con el helicóptero,
sacó un pequeño espejo
y las deslumbró.

Después,
con una red de recuperar manchas,
capturó las cinco manchas,
del **amarillo**,
del **azul**, del **rojo**,
del **negro** y del **verde**.

Las ató bien
y colgó el paquete de pintura
en una pata del helicóptero.

Abandonó a los tres pintores curiosos en el monte
y se elevó con el helicóptero
recuperador de manchas.

Y con la pintura chorreando,

el helicóptero se perdió en el cielo marino...

Joan llegó a la isla con las manchas resecas y muy cansado.

Se puso traje de poeta, zapatos de poeta, sonrisa de poeta...
y cabellos de plata.

Y soñó que había pintado el cuadro más bonito del mundo
con cinco manchas salvajes, frescas
y con muchas ganas de manchar.